kampioen

podium

microfoon

tribune

wielrenner

racefiets

parcours

AVI:	M5
Leesmoeilijkheid:	woorden eindigend op -y (puppy, hobby)
Thema:	fietsen

Z 🔆 💡🚪✉ Zwijsen

Henk Hokke
De laatste bocht

met tekeningen van Wilbert van der Steen

Bikkels

Naam: *Jimmy Melchers*
Ik woon met: *mijn vader, moeder en zusje Heleen*
(ze is een baby)
Dit doe ik het liefst: *lekker hard fietsen*
Hier heb ik een hekel aan: *een lekke band*
Later word ik: *een beroemde wielrenner*
In de klas zit ik naast: *Tijmen*

1. Ik móet winnen

Jimmy gaat op de pedalen staan.
Hij buigt zich nog verder over zijn stuur.
Zijn benen draaien razendsnel rond en zijn haren
wapperen in de wind.
Nog maar honderd meter en hij is bij de eindstreep!
Net als hij nog meer vaart wil maken, springt het
stoplicht op rood.
Jimmy remt af en stopt.
Hijgend veegt hij het zweet van zijn wangen.
'Denk je dat je op díe fiets kunt winnen?' klinkt
opeens een spottende stem naast hem.
'Dat lijkt meer op een fiets voor een kleuter of een baby.'
Jimmy kijkt verbaasd opzij en ziet dat Davy naast hem
staat.
Davy zit in groep acht en hij woont bij Jimmy in de
straat.
Jimmy kijkt een beetje jaloers naar de prachtige
racefiets van Davy.
Hij spaart zelf al heel lang voor een echte racefiets.
Davy geeft een tikje op het stuur van zijn dure racefiets.
'Ik ga zaterdag winnen,' zegt hij stoer, 'en dan ben ik de
nieuwe kampioen.'
Hij kijkt nog eens minachtend naar de doodgewone
jongensfiets van Jimmy.
Jimmy zegt niets en knijpt zijn lippen stijf op elkaar.

Het licht springt op groen.
Davy sprint meteen bij Jimmy vandaan.
Schaterlachend kijkt hij om.
'Je lijkt wel een slak op die fiets!' roept hij.
Dan slaat hij een hoek om en ziet Jimmy hem niet
meer.

Jimmy rijdt in een rustig tempo naar huis.
Waarschijnlijk heeft Davy wel gelijk, dat hij gaat
winnen.
Over drie dagen is de wielerwedstrijd die elk jaar wordt
gehouden.
Alle kinderen van de basisschool mogen eraan meedoen.
De wedstrijd gaat door de straten van hun woonplaats.
Er is altijd heel veel publiek.
De winnaar krijgt dit jaar honderd euro.
Die zou Jimmy heel goed kunnen gebruiken voor zijn
nieuwe racefiets.
Meestal doen alleen kinderen uit groep zeven en acht aan
de wedstrijd mee.
Toch heeft Jimmy besloten om dit jaar ook mee te
doen.
Hij wil later graag wielrenner worden en hij oefent
elke dag meer dan een uur.
Maar ja, op een gewone fiets is het wel heel moeilijk
om te winnen.
En zeker als je nog maar in groep vijf zit!

Davy is een stuk ouder en hij heeft een echte racefiets.
Bovendien doen er nog veel meer kinderen uit groep
zeven en acht mee.
Jimmy geeft met zijn hand een klap op het stuur.
Had hij zelf maar een echte racefiets.
Dan zou hij die pestkop van een Davy eens wat laten
zien!
Zou Romy zaterdag ook komen kijken?
Vast wel!
Wat zou het dan mooi zijn als hij zou winnen.
Natuurlijk voor die honderd euro, maar ook voor
Romy.
Zij zit vlak voor Jimmy in de klas en hij vindt haar heel
erg leuk.

Handig stuurt Jimmy het paadje in dat naar zijn huis
gaat.
Hij zet zijn fiets in de schuur en kijkt er nog eens naar.
Het is best een mooie fiets.
Er zitten vier versnellingen op.
Jimmy poetst hem heel vaak.
Zijn vader heeft verteld dat echte wielrenners dat ook
doen.
Zijn ouders vinden Jimmy nog een beetje te jong
voor een echte racefiets.
Maar ze helpen hem wel met sparen.
Vaak mag Jimmy klusjes doen om wat bij te verdienen.

Jimmy loopt naar de keukendeur.
Ik ga gewoon nog een paar dagen extra hard trainen,
denkt hij.
Ik móet winnen.
Voor die honderd euro en ... voor Romy.

2. Een echte wielrenner?

Als Jimmy de deur opendoet, springt zijn hond Bas
kwispelstaartend tegen hem op.
Jimmy bukt zich en kriebelt het beestje achter zijn
oren.
Bas is nog maar een puppy.
Hij is pas drie weken bij hen in huis.
'Jaja, straks laat ik je uit,' zegt Jimmy lachend.
'Ik wil eerst even wat drinken.'
Hij gaat naar binnen, terwijl Bas om hem heen blijft
springen.
'Ha, die Jimmy,' zegt zijn vader die aan de keukentafel
zit.
'Je hebt vandaag weer hard getraind, zo te zien.'
Jimmy knikt en pakt een fles limonade uit de
koelkast.
'Maar ik ga nog harder trainen,' zegt hij, terwijl hij een
glas volschenkt.
Zijn vader knikt.
'Ja, want de wedstrijd is al gauw,' zegt hij.
'Vind je het wel verstandig om dit jaar al mee te doen?
Je weet toch dat er bijna alleen maar kinderen uit
groep zeven en acht aan meedoen?'
Jimmy gaat bij zijn vader aan tafel zitten.
Hij neemt een paar flinke slokken.
'Ik wil graag winnen,' zegt hij en hij veegt zijn mond af.

Zijn vader glimlacht.

'Ja jongen, dat snap ik wel.

Maar die kans is maar klein met al die grote kinderen uit groep zeven en acht.

Ik zag laatst die jongen hier uit de straat voorbij scheuren.

Ach, hoe heet hij ook alweer?'

'Dat is Davy,' zegt Jimmy kortaf.

'Juist, Davy,' gaat zijn vader verder.

'Nou, die zal heel moeilijk te verslaan zijn op zijn racefiets.'

Jimmy drinkt zwijgend zijn glas leeg.

'Morgen ga ik extra hard trainen,' zegt hij dan.

'Ik probeer morgen in een nieuw record naar de molen te rijden en weer terug.'

Zijn vader wil wat zeggen, maar de deur gaat open.

De moeder van Jimmy komt binnen met een baby op haar arm.

De baby heet Heleen en ze is het zusje van Jimmy.

Hij staat op en geeft zijn kleine zusje een zoen op haar voorhoofd.

Zijn moeder slaat een arm om Jimmy heen.

'Je bent helemaal bezweet,' zegt ze bezorgd.

'Ga eerst maar even douchen, voordat we gaan eten.'

Jimmy knikt en holt met twee treden tegelijk de trap op.

Eerst even douchen.
Dan gauw Bas uitlaten, voordat hij weer in huis plast.
Dat kan misschien nog net voordat ze gaan eten.
En dan morgen ...
Jimmy kan bijna niet tot morgen wachten.
Het fietspad naar de molen is lang en ver.
Soms staat er een stevige wind en dan is het extra
lastig fietsen, vooral als je er tegenin moet natuurlijk.
Maar hij heeft er nu al zin in.
Wielrennen is het mooiste wat er is.
Nou ja, eigenlijk is het nog niet echt wielrennen wat hij
doet.
Om een echte wielrenner te zijn, heb je een echte
racefiets nodig.
En het duurt nog wel even voordat hij die bij elkaar heeft
gespaard.
Of ... of hij moet zaterdag de wedstrijd winnen!

3. Wim

Jimmy staat naast zijn fiets aan het begin van het
fietspad.
Heel in de verte ziet hij de molen.
De zon schijnt en er staat bijna geen wind.
Het is prachtig weer om een nieuw record te fietsen.
Jimmy drukt op een knopje van zijn horloge en springt
dan op zijn fiets.
Het horloge met stopwatch heeft hij vorig jaar voor
zijn verjaardag gekregen.
Hij is er heel blij mee, want nu kan hij precies zien hoe
lang hij over het stuk tot de molen doet.
Jimmy heeft er meteen flink de vaart in.
Hij buigt zich naar voren tot zijn neus bijna het stuur
raakt.
Het is lastig om zo te rijden, maar het moet wel.
Als je rechtop blijft zitten, vang je te veel wind en verlies
je snelheid.
Jimmy houdt zijn ogen op het fietspad gericht.
Af en toe kijkt hij naar de molen die langzaam dichterbij
komt.
Hij probeert het tempo nog wat te verhogen.
Zijn adem gaat sneller.
Hij voelt de eerste zweetdruppels op zijn gezicht.
Jimmy schrikt als er plotseling vlak achter hem een
fietsbel klinkt.

Hij rukt zijn stuur naar rechts.

Zijn voorband glijdt van het fietspad in de berm en slipt weg.

Jimmy remt zo hard hij kan.

Nu glijdt ook zijn achterwiel weg.

Jimmy laat het stuur los en rolt in het gras.

Gelukkig valt hij niet hard en hij krabbelt meteen overeind.

Er staat een man bij hem met een racefiets aan zijn hand.

De man draagt een wielerbroek en een mooi blauw shirt.

Op zijn hoofd heeft hij een wielerhelm.

'Gaat het?' vraagt hij bezorgd.

Jimmy knikt en klopt wat gras van zijn broek.

'Ik schrok omdat u belde,' zegt hij.

'Ik dacht dat niemand mij kon inhalen omdat ik zo hard ging.'

'Zeg dat wel,' zegt de man lachend.

'Het leek wel of je een wedstrijd aan het rijden was.'

Jimmy raapt zijn fiets op.

Hij bekijkt hem van alle kanten.

Zo te zien is er niets beschadigd.

'Ik deed een recordpoging naar de molen,' zegt hij.

'Ik rijd altijd van het begin van het fietspad naar de molen en weer terug.

En dan neem ik op in hoeveel tijd ik dat doe.'

De man kijkt eerst achterom en dan naar de molen.
'Hoe lang doe je daar dan over?' vraagt hij nieuwsgierig.
Jimmy drukt het knopje van zijn stopwatch in.
Het heeft nu geen zin meer om de tijd te laten lopen.
'Mijn snelste tijd is achttien minuten en twaalf
seconden,' zegt hij.
De man kijkt hem verbaasd aan.
'Voor alleen de heenweg bedoel je zeker?' zegt hij.
Jimmy schudt zijn hoofd.
'Nee, voor heen en terug,' zegt hij.
'Maar er stond toen helemaal geen wind, net als
vandaag.'
'Poeh, dat is snel,' zegt de man bewonderend.
Hij steekt een hand uit naar Jimmy.
'Ik ben Wim,' zegt hij, 'en je mag wel je tegen me
zeggen, hoor.'
Jimmy geeft hem een hand en noemt zijn eigen naam.
'Fiets je hier wel vaker, Jimmy?' vraagt Wim.
'Bijna elke week wel een keer,' antwoordt Jimmy.
'Ik wil later wielrenner worden en daarom train ik
elke dag.
En ik wil graag zaterdag de wedstrijd winnen.'
Hij vertelt Wim over de wedstrijd die elk jaar
gehouden wordt.
Wim wil van alles over de wedstrijd weten.
Hoe lang het parcours is.
En wie er allemaal mee mogen doen.

Ten slotte wijst hij naar de fiets van Jimmy.

'Rijd je de wedstrijd op deze fiets?' vraagt hij.

Jimmy knikt en zijn gezicht betrekt.

Hij vertelt over Davy uit groep acht, die een echte racefiets heeft.

Als hij klaar is, stapt Wim op zijn fiets.

'Zullen we morgen samen een stukje trainen?' zegt hij.

'Misschien kan ik je als oud-wielrenner nog een paar tips geven.'

Jimmy kijkt hem met grote ogen aan.

'Heb je ... heb je vroeger ook wedstrijden gereden?' vraagt hij.

'Ja, ik ben wielrenner geweest,' zegt Wim.

'Al is dat wel heel lang geleden.

Maar ik weet misschien nog wel een paar trucjes die je kunnen helpen.

Nou, gaan we nog samen trainen of hoe zit het?'

'Ja... eh, dat is goed,' stottert Jimmy, 'als het van mijn ouders mag.'

Wim knikt hem goedkeurend toe.

'Het is goed dat je daaraan denkt.

Weet je wat?

Ik wacht morgen om vier uur bij de molen op je.

Als je er dan niet bent, dan vinden je ouders het niet goed.

Als je er wel bent, gaan we samen trainen.

Dan probeer ik je wat trucjes te leren.

Ik zie het vanzelf wel.'

Hij steekt zijn hand op en fietst weg in de richting van de molen.

Jimmy draait zijn fiets om en rijdt in gedachten terug. Het was een beetje een mislukte training, maar toch ook niet.

Misschien kan Wim hem een paar goeie trucs leren. Maar dan moeten pap en mam het wel goed vinden.

4. Beroemd

's Avonds onder het eten vertelt Jimmy alles.
'En hij vroeg of ik met hem wilde trainen,' besluit
hij zijn verhaal.
'Als hij Wim heet, dan moet het Wim den Besten
zijn,' zegt zijn vader.
De mond van Jimmy valt open van verbazing.
'Maar ... maar ken je hem dan?' vraagt hij stomverbaasd.
'Iedereen hier in de omgeving kent hem,' antwoordt
zijn vader.
'Hij heeft vroeger een paar etappes in de Tour de France
gewonnen.
En volgens mij is hij ook Nederlands kampioen
tijdrijden geweest.
Hij woont een paar dorpjes verder op een boerderij.
Ik zie hem zelf ook regelmatig fietsen.
Meestal in zijn eentje, maar soms ook wel in een
groepje.
En hij wil met jou trainen?'
'Ja,' zegt Jimmy, 'hij wilde me wel een paar
trucjes leren.'
Zijn vader kijkt zijn moeder even aan.
'Ik heb er geen bezwaar tegen,' zegt hij dan.
'Nee, ik ook niet,' zegt Jimmy's moeder, 'als je maar
uitkijkt dat je niet valt.'
Jimmy moet lachen als zijn moeder dat zegt.

Ze vindt fietsen wel een leuke hobby, maar
wielrennen vindt ze maar niks.
Ze zegt steeds dat het een gevaarlijke sport is.
Daar heeft ze ook wel een beetje gelijk in.
Jimmy ziet vaak valpartijen op televisie en het loopt
niet altijd goed af.
Vorig jaar nog ging er iemand dood die heel hard
was gevallen in de afdaling van een berg.
Jimmy belooft zijn moeder dat hij voorzichtig zal zijn.
Hij is veel te blij dat hij morgen met Wim mag gaan
trainen.

Na het eten roept zijn vader hem bij de computer.
'Is dit hem?' vraagt hij.
Hij wijst naar een man op het scherm.
Jimmy herkent de man meteen, ook al ziet hij er op
het beeldscherm een stuk jonger uit.
'Hij was inderdaad kampioen tijdrijden,' zegt zijn vader.
'Nou, daar kun je wel wat van leren.'
Zijn vader snuffelt verder op het scherm.
'Hij heeft ook nog twee dagen in de gele trui gereden in
de Tour de France,' zegt hij.
'Wim den Besten is echt een beroemde wielrenner,
jongen.'
Het duizelt Jimmy een beetje.
Hij kan bijna niet geloven dat deze beroemde man
met hem wil trainen.

Maar het is toch echt zo.
Ze hebben morgen om vier uur afgesproken bij de
molen.
Opeens krijgt Jimmy een nare gedachte.
Het zal toch geen grapje van Wim geweest zijn?
Het is of zijn vader zijn gedachten raadt.
'Ga er morgen maar gerust naar toe,' zegt hij.
'Als Wim den Besten het heeft beloofd, dan is hij er ook.
Dat zul je zien.'

Als Jimmy in bed ligt, kan hij niet in slaap komen.
De ontmoeting met Wim speelt steeds door zijn hoofd.
Wat voor trucjes zou hij hem willen leren?
Zou er een truc zijn waarmee hij zaterdag de wedstrijd
kan winnen?
Als Jimmy eindelijk in slaap valt, droomt hij over de
wedstrijd.
Hij droomt over Romy die hem staat aan te moedigen.
En hij droomt over het erepodium waarop hij bovenaan
staat met een krans om zijn nek.

5. Les één

Jimmy kijkt voor de zoveelste keer op zijn horloge.

Het is vijf voor vier en hij staat al tien minuten naast zijn fiets bij de molen te wachten.

Bezorgd tuurt hij het fietspad af.

Ze hadden toch om vier uur afgesproken?

Even later ziet hij in de verte een stipje aankomen over het fietspad.

Als de fietser dichterbij komt, ziet Jimmy dat het Wim is.

Hij draagt een trainingsjack.

Aan zijn stuur bengelt een plastic tas.

Wim zet zijn fiets tegen een paaltje en geeft Jimmy een hand.

'Sta je hier al lang?' vraagt hij.

'Al een kwartier,' antwoordt Jimmy, 'ik wilde niet te laat zijn.'

'Mooi zo,' zegt Wim, 'het is belangrijk om je aan afspraken te houden als je wielrenner wilt worden.'

Dat snapt Jimmy niet zo goed, maar hij zegt niets.

Hij popelt om eens flink hard te fietsen.

Wim wijst naar een boom die een eindje verder in de berm staat.

'Wil je eens zo hard je kunt naar die boom fietsen en weer terug?' vraagt hij.

'Dan neem ik de tijd op.'

Hij doet de rits van zijn jack open.

Jimmy ziet dat er een stopwatch om zijn nek hangt.
Jimmy gaat met zijn fiets klaarstaan, terwijl Wim
een hand omhoog steekt.
'Nu!' roept Wim en zijn hand gaat naar beneden.
Als een pijl uit de boog schiet Jimmy ervandoor.
Ha, hij zal Wim eens even laten zien wat fietsen is.
Met zijn neus op het stuur raast hij op de boom af.
Daar remt hij en draait razendsnel zijn fiets om.
Hij gaat op de pedalen staan om weer tempo te maken.
Hij ziet Wim met zijn stopwatch aan de rand van het
fietspad staan.
Jimmy perst er nog een laatste sprint uit tot hij bij
Wim is.

'Heel goed,' zegt Wim als Jimmy hijgend naar hem
toe loopt.
'Twee minuten en vijf seconden.
Weet je zeker dat je op je allerhardst hebt gefietst?'
Jimmy knikt heftig.
Wim pakt de plastic tas die aan zijn stuur hangt.
Hij wijst op een bankje bij de molen.
'Laten we daar maar gaan zitten, dan kun je even
uitrusten.'
Ze gaan naast elkaar op het bankje zitten.
Wim haalt twee flesjes limonade uit de tas en twee
krentenbollen.
Hij geeft Jimmy een flesje en een krentenbol.

'Lust je dat?' vraagt Wim.

Jimmy knikt en wil de dop van het flesje draaien,
maar Wim pakt het flesje met een snelle beweging van
hem af.

Hij draait de dop eraf en zet het flesje aan zijn mond.

Jimmy kijkt stomverbaasd toe hoe Wim het flesje
helemaal leegdrinkt.

Dan draait Wim zijn eigen flesje open en drinkt dat
ook leeg.

'Lekker,' zegt hij en hij likt zijn lippen af.

Jimmy weet niet wat hij moet zeggen.

Hij wil een hap van de krentenbol nemen, maar Wim
grist het broodje uit zijn handen.

Met drie grote happen eet hij de krentenbol op.

Ook zijn eigen broodje verdwijnt in zijn mond.

Jimmy staat met een boos gezicht op.

'Dat is gemeen!' roept hij woedend.

Hij loopt met grote stappen in de richting van zijn fiets.

'Waar ga je heen?' roept Wim hem na.

'Ik ga naar huis,' snauwt Jimmy, 'en ik wil nooit meer
met je trainen!'

'Kom even hier zitten,' zegt Wim kalm, 'dan zal ik het je
uitleggen.'

Jimmy aarzelt, maar dan loopt hij terug naar het bankje.

'Ga maar weer zitten,' zegt Wim vriendelijk.

Jimmy doet wat Wim zegt en wacht op wat er komen
gaat.
'Ik ken een beroemde wielrenner,' zegt Wim.
'Hij heeft alles gewonnen wat je maar kunt winnen.
Iemand van de krant vroeg hem wat zijn geheim was.
En weet je wat hij zei?'
Jimmy schudt zijn hoofd.
Hij zit nog steeds boos voor zich uit te kijken.
'Hij zei: "Wielrennen is eerst het bord van een ander
leegeten en dan je eigen bord.'''
Wim wacht even en stoot Jimmy aan.
'Begrijp je wat hij daarmee bedoelt?' vraagt hij.
Jimmy haalt zijn schouders op.
'Nee,' zegt hij, 'nou ja, ik snap wel dat jij eerst mijn
flesje leegdronk en daarna je eigen flesje.
En met de krentenbol deed je precies hetzelfde.'
Wim staat op en loopt naar zijn fiets.
Hij wenkt Jimmy.
'We fietsen nog een keer naar die boom en weer terug,'
zegt hij.
'Maar ik fiets voorop en jij fietst vlak achter mij.
Ik wil dat je zo dicht mogelijk achter me rijdt,
ook als ik ga draaien bij die boom.'
Even later staan ze klaar.
Wim heeft de stopwatch in zijn hand.
'Nu!' roept hij en hij sprint weg.
Jimmy moet er alles aan doen om vlak achter Wim te

blijven.

In een razend tempo gaan zijn benen rond.

Bij de boom remt Wim af en draait hij zijn fiets om.

Met zijn tong uit zijn mond volgt Jimmy hem.

Er zit nog geen tien centimeter tussen zijn
voorband en de achterband van Wim.

Op de terugweg gaat het nog harder.

Toch lukt het Jimmy om aan het achterwiel van Wim
te blijven rijden.

Bij de molen stoppen ze.

Wim kijkt op zijn stopwatch.

'Eén minuut en vijftig seconden,' zegt hij.

Jimmy kan zijn oren bijna niet geloven.

'Maar ... maar ik ben lang niet zo moe als de eerste keer,'
zegt hij.

'Het leek wel of ik werd meegezogen, zo hard ging het.'

'Zo is het precies,' zegt Wim lachend.

'Dat komt doordat je mij het werk liet doen.

Ik zat vooraan met mijn neus in de wind en jij kon
lekker meefietsen achter mijn rug.

Kijk Jimmy, dat is wat ik daarnet bedoelde.'

Zijn gezicht staat nu ernstig.

'Als je mij steeds voorop laat fietsen, doe ik al het werk.

Ik ben dan sneller moe dan jij.

Dat betekent dat jij meer kans hebt om de wedstrijd
te winnen.

Dat bedoelde die beroemde wielrenner dus ook.

Eerst het bordje van de ander leegeten en dan pas je eigen bordje.

Eerst wachten tot de ander moe is en dan zelf toeslaan.'

Jimmy knikt langzaam.

'Maar het was wel een beetje gemeen,' zegt hij.

'Dat klopt,' zegt Wim.

Hij pakt de plastic tas die nog op het bankje ligt.

'Sorry,' zegt hij met een grijns.

Hij geeft Jimmy een flesje en een krentenbol.

'En een beetje dooreten graag,' zegt Wim.

'We hebben nog meer te doen.

Dit was pas les één.

Straks leer ik je hoe je op je fiets moet zitten.

En morgen bekijken we het parcours van de wedstrijd.'

6. Het parcours

De volgende dag staan Wim en Jimmy met hun fiets
aan de hand bij de startplaats.
'Dus hier is de start en finish?' vraagt Wim.
Jimmy knikt en wijst naar de overkant van de straat.
'Daar staat altijd een tribune voor de jury en het publiek,'
zegt hij.
Wim kijkt peinzend de straat af.
'Laten we eerst het parcours maar eens verkennen,'
zegt hij.
'Rijd jij maar voorop, ik volg je wel.'
Jimmy fietst de straat in en slaat even later rechtsaf.
Hij kent het hele parcours uit zijn hoofd, zo vaak heeft
hij het al gereden.
Ze passeren de supermarkt en slaan bij een café weer
rechtsaf.
Zo rijden ze door de straten tot Jimmy na een
kwartiertje bij een rode brievenbus weer rechtsaf gaat.
Hij kijkt achterom naar Wim.
'Dit lange, rechte stuk nog en aan het eind nog één
bocht naar rechts,' zegt hij.
'Dan zijn we weer op de weg naar de eindstreep.'
Aan het eind van het lange, rechte stuk steekt Jimmy
zijn hand uit en slaat rechtsaf.
'Ho, wacht!' roept Wim als ze de bocht door zijn.
Jimmy remt en stapt af.

Ook Wim stapt af.

Hij zet zijn fiets tegen een lantaarnpaal.

'Dit is dus de laatste bocht,' mompelt hij.

'Staan hier ook dranghekken tijdens de wedstrijd?'

'Ja, aan beide kanten van de weg,' antwoordt Jimmy,
'want hier is het altijd heel druk.

Na onze wedstrijd is er ook nog een wedstrijd voor
grote mensen.'

'Mooi zo,' zegt Wim en hij steekt de weg over.

Aan de overkant loopt hij een paar keer heen en weer.

Als hij eindelijk weer oversteekt, geeft hij Jimmy een
klapje op zijn schouder.

'Hier moet het gaan gebeuren,' zegt hij.

'Hier moet je je slag slaan, tenminste ... als je lef hebt.'

Jimmy knikt, maar hij begrijpt er nog niet veel van.

Wim kijkt om zich heen en raapt een steentje op.

Hij hurkt en begint op een stoeptegel te tekenen.

'Kijk, dit is het lange, rechte stuk naar deze bocht toe,'
zegt hij.

Jimmy gaat op zijn knieën naast Wim zitten.

'Op dat rechte stuk wordt natuurlijk heel hard gereden,'
gaat Wim verder.

'Is die Davy daar goed in?'

'Ja, die kan echt heel hard rijden,' zegt Jimmy zonder
aarzelen.

'Als hij hard op kop rijdt, haalt niemand hem meer in,
denk ik.'

Wim kijkt Jimmy strak aan.

'Waar moet jij rijden als er iemand heel hard op kop rijdt?'

'Zo dicht mogelijk op zijn achterwiel,' zegt Jimmy zonder aarzelen.

'Juist, dat wilde ik horen,' zegt Wim.

'Zijn bordje moet namelijk eerder leeg zijn dan jouw bordje, weet je nog?'

Wim wijst naar het begin van de bocht.

'Het gaat er bij een bocht om dat je hem goed aansnijdt.'

Wim tekent vijf kruisjes vlak achter elkaar.

'Kijk, stel je voor dat dit de koplopers in de wedstrijd zijn,' zegt hij.

'Die voorste is misschien Davy, maar het kan ook een ander zijn.

Die tweede, dat ben jij.

Het is trouwens ook niet erg als je derde of vierde bent, hoor.

Het gaat erom dat je bordje nog niet leeg is.'

Wim geeft het steentje aan Jimmy.

'Teken jij nou eens hoe dit groepje de bocht in gaat en hoe het groepje de bocht weer uitkomt.'

Jimmy denkt even na en tekent een lijn die over het midden van de weg de bocht omgaat.

Wim bekijkt de lijn die Jimmy heeft getekend.

'Dus als dit groepje de bocht uitkomt, rijden jullie nog

in dezelfde volgorde achter elkaar?'
vraagt hij.
Jimmy knikt.
'En dan?' wil Wim weten.
'Nou eh... dan moet ik de renners die voor mij rijden,
inhalen om te winnen,' zegt Jimmy.
Wim trekt verbaasd zijn wenkbrauwen omhoog.
'Ja, maar dat lukt dan waarschijnlijk niet meer,' zegt hij.
'Je zei net zelf dat Davy bijna niet te verslaan is als hij op
kop rijdt.'
'Maar wat moet ik dan doen?' vraagt Jimmy.
'Dat zal ik je laten zien,' zegt Wim, 'maar je moet wel
heel goed opletten.
Dit is namelijk de truc waarmee je de wedstrijd kunt
winnen.
Nou ja, als je lef hebt ...'

7. Dat durf ik wel!

Wim pakt de arm van Jimmy en trekt hem mee naar de
scherpe bocht.
Hij wijst naar links.
'Daar kom je morgen, als het goed is, heel hard
aanrijden,' zegt hij.
'Waarschijnlijk in een klein groepje, maar misschien ook
in een grote groep.
De kans is het grootst dat je ongeveer midden op de
weg rijdt.
Zorg er in ieder geval voor dat je in het wiel van
iemand zit.
Het liefst in het wiel van Davy.'
Jimmy probeert alles wat Wim zegt goed te onthouden.
'Zie je daar die bushalte aan de overkant?'
vraagt Wim.
Jimmy knikt.
'Als je daar bent, moet je niet aarzelen,' zegt Wim,
'maar dan moet je maar één ding doen.'
Hij stapt van de stoeprand af, zodat hij op straat staat.
'Je moet ineens naar rechts sturen,' zegt Wim.
'En dan moet je rakelings langs mij heen fietsen.'
Jimmy trekt een verbaasd gezicht.
'Maar ... maar jij staat daar toch niet tijdens de
wedstrijd?'
Wim stapt weer op de stoep.

'Nee, hier staat een dranghek tijdens de wedstrijd.
Je moet dus zo dicht mogelijk langs het dranghek.
Zo dicht dat je het hek bijna raakt.
Je mag niet remmen.
Je moet gewoon keihard blijven doortrappen.
Durf je dat?'
'Ja, dat durf ik wel,' zegt Jimmy zonder aarzelen.
'Doe het dan maar een keer voor,' zegt Wim.
'Nu?' vraagt Jimmy met grote ogen.
'Ja, nu,' antwoordt Wim lachend, 'want je hebt niet
veel tijd meer tot de wedstrijd.'
Jimmy wil naar zijn fiets lopen, maar Wim pakt zijn arm.
'Er is nog iets belangrijks dat je goed moet onthouden.
Als je de bocht door bent, stop je met trappen.
Je zult zien dat je door je snelheid helemaal aan de
andere kant van de straat uitkomt.
Wat staan daar?'
'Ook dranghekken,' zegt Jimmy onmiddellijk.
'Heel goed,' zegt Wim, 'en ook daar moet je zo dicht
mogelijk langs.
Je mag in geen geval remmen, want dan ben je te veel
snelheid kwijt.'
Hij wijst naar de andere kant van de straat.
'Stel je voor dat de stoeprand een dranghek is.'
Jimmy kijkt peinzend naar de stoeprand aan de overkant.
'Maar wanneer moet ik dan weer gaan trappen?'
vraagt hij.

Wim geeft hem een klap op zijn schouders.

'Dat is de beste vraag die je kunt stellen,' zegt hij.

'En het antwoord ... het antwoord kan ik je niet geven. Dat zul je zelf moeten aanvoelen als je in de bocht rijdt.

Je zult moeten inschatten of je met je snelheid de bocht net haalt of ...'

'Of dat ik in de hekken terechtkom,' vult Jimmy aan.

'Zo is het precies,' zegt Wim.

'Als je te vroeg begint te trappen, lig je in de hekken. En als je te laat begint, ben je te veel snelheid kwijt en haalt iedereen je weer in.

Maar als je alles goed doet, heb je een paar meter voorsprong genomen op alle anderen.

Dat is het moment waarop je aan je eigen bordje gaat beginnen.

Vanaf dat punt moet je zo hard mogelijk de laatste honderd meter naar de streep afleggen.

Niemand mag er nog in jouw achterwiel komen, want dan word je in de sprint geklopt.

En niet achterom kijken, alleen maar zo hard als je kunt naar de streep rijden.

Wat je ook doet, niet omkijken!

En niet stilhouden voordat je over de streep bent.

Snap je dat een beetje?'

Jimmy geeft geen antwoord, maar loopt vastberaden naar zijn fiets.

'Ga maar een flink eind verderop klaarstaan,' zegt Wim.
'Ik steek mijn hand omhoog als er van beide kanten
geen verkeer aankomt.
Als je de bocht nadert en ik doe niets, dan kun je
er vol gas doorheen.
Als er verkeer aankomt, dan zwaai ik wel.
Dan rem je en dan doen we het opnieuw.
Weet je zeker dat je het durft?'
'Ja, ik weet het zeker,' zegt Jimmy schor.

8. Nog één kans

Jimmy loopt met zijn fiets over de stoep een flink
eind bij Wim vandaan.
Dan draait hij zijn fiets en gaat op de weg staan.
Rustig wacht hij een poosje.
Er komen twee auto's voorbij, die bij Wim rechtsaf
slaan.
Dan gaat de hand van Wim de lucht in.

Jimmy springt op zijn fiets en begint te trappen.
Hij stuurt wat naar het midden van de weg.
Uit een ooghoek houdt hij de bushalte in de gaten.
Ook ziet hij dat Wim nog steeds met zijn hand
omhoog staat.
Bij de bushalte stuurt Jimmy scherp naar rechts.
Hij gaat nu recht op Wim af, die rustig blijft staan.
Ik knal tegen hem aan, denkt Jimmy.
Toch blijft hij zo hard mogelijk doortrappen.
Hij rijdt zo dicht langs Wim dat zijn rechterschouder
hem net raakt.
Meteen stopt hij met trappen.
De overkant van de straat komt vliegensvlug dichterbij.
Jimmy probeert zijn fiets wat schuiner te houden.
Niet remmen, niet remmen, schiet het door hem heen.
De stoeprand is nog maar twee meter bij hem
vandaan.

Ik haal het niet, schiet het door Jimmy's hoofd en meteen remt hij.

Zijn achterwiel slipt weg, maar de fiets blijft overeind.

Jimmy begint weer te trappen en hij scheert vlak langs de stoeprand.

Hij wil op de trappers gaan staan om weer vaart te maken.

'Stop maar,' klinkt de stem van Wim.

Jimmy stapt af en loopt met zijn fiets aan de hand naar Wim.

'Ik móest wel remmen,' zegt Jimmy, 'anders was ik tegen de stoeprand geknald.'

Wim knikt langzaam.

'Je hebt de wedstrijd net verloren,' zegt hij.

'Je deed alles goed, tot je bang werd.'

Wim legt een hand op de schouder van Jimmy.

'Dat is niet zo gek, hoor.

Bijna iedereen zou bang zijn als hij zo hard door de bocht reed en hij zag die stoeprand op zich afkomen.'

'Ik wil het nog een keer proberen,' zegt Jimmy.

Wim schudt zijn hoofd.

'Dat heeft geen zin,' zegt hij.

'Het is heel simpel: je durft zonder remmen door te trappen of je remt.

Als je remt, halen alle anderen je in.

Als je op tijd doortrapt, heb je een paar meter voorsprong.

De rest deed je allemaal goed.

Het gaat erom of je morgen durft of niet.'

Hij pakt zijn fiets.

'Hoe laat begint de wedstrijd?' vraagt hij.

'Om tien uur is de start,' antwoordt Jimmy.

'Kom je ... kom je ook kijken?'

Wim zwaait zijn been over het zadel en haalt zijn schouders op.

'Ik hoop dat ik tijd heb,' zegt hij.

Hij steekt een hand naar Jimmy op en fietst dan weg.

Jimmy kijkt hem na.

Hij is boos op zichzelf omdat hij op de rem trapte.

Maar als hij dat niet had gedaan, zou hij de stoeprand geraakt hebben.

Of zou hij het net gehaald hebben?

Jimmy weet het niet.

Maar hij weet wel dat hij nog maar één kans krijgt om het goed te doen.

En die kans is morgen bij de wedstrijd!

9. De wedstrijd

Om half tien rijdt Jimmy thuis weg in de richting
van de start.
Hij heeft vanmorgen zijn fiets nog een keer helemaal
nagekeken.
Langs het parcours is het al behoorlijk druk.
Sommige mensen hebben een stoeltje meegenomen en
zitten lekker in het zonnetje.
Bij de start staan al een paar kinderen met hun fiets klaar.
Davy staat helemaal vooraan bij de startstreep en heeft
de grootste mond.
Zijn rode racefiets glimt in de zon.
Davy grijnst als hij Jimmy ziet.
Hij stoot een jongen uit zijn klas aan die naast hem staat.
Jimmy hoort hen keihard lachen en ziet dat ze naar
hem wijzen.
Hij gaat aan de andere kant van de weg bij de startstreep
staan.
Het wordt steeds drukker bij de start.
De tribune is nu bijna helemaal vol.
Jimmy ziet dat zijn ouders een eindje verder achter
een dranghek staan.
Zijn zusje Heleen zit in een buggy met een parasol
erboven tegen de zon.
Jimmy heeft Romy nog niet gezien.
Maar daar staat wel zijn beste vriend Tijmen.

Wat leuk dat hij hem komt aanmoedigen!

De groep kinderen bij de start wordt steeds groter en Jimmy is blij dat hij zo vroeg was.

Nu staat hij mooi vooraan met zijn voorwiel tegen de startstreep.

Om vijf voor tien houdt de burgemeester een praatje in een microfoon.

Hij stelt de mensen van de jury voor, die op de eerste rij van de tribune zitten.

En dan ... dan houdt de burgemeester een groot startpistool in de lucht.

'Maak er een mooie wedstrijd van,' roept hij en meteen klinkt het startschot.

Jimmy springt op zijn fiets en stuift weg.

Hij ziet dat links van hem drie fietsers op kop rijden.

Voorop rijdt een jongen die hij niet kent en daarachter rijdt Davy.

De derde is een meisje op een grote, zwarte fiets.

Jimmy stuurt wat naar links en probeert bij het groepje aan te sluiten.

Hij moet zijn uiterste best doen, want het gaat meteen al heel hard.

Gelukkig moet het groepje een beetje remmen omdat ze bij het café rechtsaf moeten slaan.

Jimmy sluit achter het meisje aan en na de bocht kijkt hij even om.

Een meter of tien achter hem rijden nog twee jongens.

Ze doen hun best om bij de kopgroep te komen.

De andere kinderen zijn al een flink eind achterop geraakt.

Davy is inmiddels op kop gaan rijden en nu gaat het nog harder.

De twee achtervolgers hebben zich bij het groepje aangesloten.

De kopgroep bestaat nu uit zes kinderen.

Jimmy ziet uit zijn ooghoeken dat het heel druk is langs het parcours.

Overal staan mensen te juichen en te klappen als ze langskomen.

Zijn benen beginnen een beetje zeer te doen, zo hard gaat het.

Bij de kerk is een flauwe bocht naar links.

Jimmy passeert het meisje en nu rijdt hij op de derde plek.

De jongen voor hem rijdt ook op een gewone fiets, maar wel eentje met veel versnellingen.

Jimmy hoort hem steeds schakelen.

Davy wordt maar niet moe, zo lijkt het.

Het groepje raast door de straten en voordat Jimmy het in de gaten heeft, zijn ze bij de rode brievenbus.

Ze slaan rechtsaf en komen op het lange, rechte stuk naar de laatste bocht.

Jimmy ziet een eind verderop het bushokje.

Wat moet ik doen? denkt hij.

Ik kan misschien toch maar het beste zo blijven rijden.

Die twee voor me zullen toch ook wel moe zijn en die kan ik dan op het laatste stuk inhalen.

En als dat niet lukt ... nou ja, dan ben ik misschien toch nog tweede of derde.

Dat is altijd nog beter dan in de hekken terecht te komen.

Het bushokje komt snel dichterbij.

Jimmy ziet een eindje verder de laatste bocht al.

Davy rijdt precies op het midden van de weg en de andere vijf volgen hem.

Ze zijn nu vlak bij het bushokje.

En dan ... dan klinkt er opeens een stem uit het publiek: 'Aansnijden die bocht en niet remmen!'

Jimmy hoeft niet te kijken om te weten wie dat zegt.

Hij kent die stem wel ...

10. Niet remmen!

Jimmy denkt niet na, maar hij zwiept zijn stuur naar
rechts.
Hij komt meteen volop in de wind te zitten.
Het groepje remt af voor de bocht en Jimmy haalt
hen rechts in.
Keihard gaat hij op de binnenbocht af.
Hij blijft doortrappen, ook als hij het dranghek
dichterbij ziet komen.
Op topsnelheid flitst hij door de bocht, rakelings langs
het dranghek.
Meteen houdt hij zijn benen stil, zoals Wim hem heeft
geleerd.
Hij vliegt nog harder dan gisteren op de stoeprand en het
dranghek aan de overkant af.
Jimmy denkt maar aan één ding: niet remmen, niet
remmen, niet remmen!
Hij probeert zijn fiets zo schuin mogelijk te houden om
de bocht te halen.
De mensen achter het dranghek schrikken.
Ze doen een paar stappen achteruit.
Jimmy wacht nog heel even en dan begint hij te
trappen.
De stoeprand is nu heel dichtbij.
Ik haal het niet, denkt Jimmy, maar hij blijft toch
trappen.

Op een millimeter afstand rijdt hij langs de stoeprand en het dranghek.

Even lijkt het of hij zijn evenwicht verliest, maar hij haalt het!

Meteen gaat hij op de pedalen staan.

Hij wil graag weten wat er achter hem gebeurt, maar hij denkt aan de woorden van Wim: 'Wat er ook gebeurt, niet omkijken.'

Jimmy perst nu alles uit zijn lijf.

Zijn benen doen pijn.

Zijn hele lijf doet pijn, maar hij trapt keihard door.

Hij fietst zoals hij nog nooit gefietst heeft.

De finish is nog maar dertig meter, nog twintig meter, nog tien ...

Ergens achter zich hoort Jimmy iemand schakelen.

Hij weet precies wat er gebeurt zonder dat hij hoeft om te kijken.

Davy zet natuurlijk op het laatste stuk alles op alles om hem nog in te halen.

Jimmy hoort de mensen aan de kant juichen.

'Kom op, Jimmy!' klinkt een meisjesstem erbovenuit.

Ha, dat is de stem van Romy!

Jimmy voelt dat hij de wedstrijd niet meer kan verliezen.

Hij geeft nog een paar extra trappen en dan vliegt hij over de streep.

Hij geeft een schreeuw van vreugde en balt zijn vuist.

Zijn vader vangt hem op en slaat hem op zijn schouder.
'Wat een machtige sprint!' roept hij.
Hij geeft Jimmy een flesje drinken.
Jimmy neemt een paar gulzige slokken.
De anderen van de kopgroep zijn inmiddels ook over
de streep gekomen.
'Dat meisje is tweede geworden,' zegt Jimmy's vader,
'en Davy is derde.'
Jimmy ziet dat het meisje op hem afkomt.
Sportief geeft ze hem een hand.
'Gefeliciteerd,' hijgt ze.
'Zoals jij door die bocht ging, dat durfde niemand.'
Jimmy probeert een beetje bescheiden te kijken.
Zijn vader trekt hem mee.
'Kom op,' zegt hij, 'de prijsuitreiking begint.'

11. Een echte wielrenner!

De burgemeester staat bij het erepodium.
In zijn ene hand heeft hij een microfoon, in zijn
andere hand een paar enveloppen.
Hij lacht als Jimmy, Davy en het meisje naar hem
toe lopen.
'Dames en heren, mag ik een geweldig applaus voor
deze drie wielrenners?' zegt hij in de microfoon.
Er barst een enorm gejuich los.
Jimmy wordt er een beetje verlegen van.
'Wat een prachtige overwinning,' gaat de
burgemeester verder.
Hij wijst naar het erepodium en Jimmy snapt wat de
bedoeling is.
Hij gaat op de hoogste tree staan bij nummer 1.
Het meisje gaat rechts van hem staan en Davy links.
Tot Jimmy's verbazing geeft Davy hem een hand.
'Goeie sprint,' zegt hij en het klinkt alsof hij het meent.
Een mevrouw die er heel deftig uitziet, hangt een
prachtige krans om Jimmy's nek.
Jimmy ziet dat zijn vader foto's aan het nemen is.
Opeens ziet hij ook Romy staan.
Ze zwaait naar hem en een beetje verlegen zwaait
hij terug.
'Mag ik nog één keer een applaus voor deze drie kanjers?'
roept de burgemeester.

Terwijl het publiek begint te juichen, steekt Jimmy zijn handen in de lucht.
Dit is het moment waarvan hij heeft gedroomd.
Hier heeft hij zo hard voor getraind.
De burgemeester loopt naar het podium.
Hij geeft Jimmy, Davy en het meisje ieder een envelop.
Jimmy kan wel juichen van plezier.
Hij vouwt de envelop op en stopt hem diep in zijn broekzak.
Nu kan hij een echte racefiets kopen!
En dan kan hij eindelijk echt wielrenner worden.

Jimmy kijkt over de hoofden van het publiek heen.
En opeens ... opeens ziet hij een man die rustig tegen zijn racefiets staat geleund.
De man grijnst naar Jimmy en steekt een duim omhoog.
Jimmy wijst op de krans en steekt ook zijn duim omhoog.
Wim steekt vier vingers in de lucht en maakt met zijn armen boven zijn hoofd een kruis.
Hij vormt een woord met zijn mond en spreidt dan zijn armen.
Alsof hij zeggen wil: wat vind je ervan?
Jimmy schiet in de lach.
Hij weet wel wat Wim daarmee bedoelt.

Hij wil weten of Jimmy maandag om vier uur bij de molen is om te trainen.

Jimmy knikt en steekt ook vier vingers omhoog.

Hij ziet dat Wim op zijn fiets stapt en rustig wegfietst.

Even later is hij uit het zicht verdwenen.

Maandag zal ik hem bedanken, denkt Jimmy.

Dan zal ik hem zeggen hoe goed die truc was bij de laatste bocht.

En dan vraag ik of hij me nog meer trucjes kan leren om een echte wielrenner te worden.

En misschien ... misschien wil hij wel een echte racefiets met me gaan kopen.

Want als er iemand verstand heeft van een goede racefiets, dan is hij het wel!

Jimmy doet mee aan een wielerwedstrijd. Zijn beste vriend Tijmen komt hem aanmoedigen (op pagina 46). Tijmen beleeft een heel bijzonder avontuur in het boek 'Tijmen, de tijdreiziger'.

In deze serie zijn de volgende Bikkels verschenen:

	ME	ME	ME	ME	ME		
AVI	S	3	4	5	6	7	P
CLIB	S	3	4	5	6	7	8	P

fietsen

Toegekend door Cito i.s.m. KPC Groep

1e druk 2008

ISBN 978.90.276.7310.7
NUR 282

© 2008 Tekst: Henk Hokke
Illustraties: Wilbert van der Steen
Vormgeving: Rob Galema
Uitgeverij Zwijsen B.V., Tilburg

Voor België:
Zwijsen-Infoboek, Meerhout
D/2008/1919/128